KB198105

달의 門下

달의 門下

2010년 10월 4일 초판 1쇄 인쇄
2010년 10월 15일 초판 1쇄 발행

지은이 | 박기섭
펴낸이 | 孫貞順
펴낸곳 | 도서출판 작가
　　　　서울 서대문구 북아현3동 1-1278 (우-120-866)
　　　　전화 | 365-8111~2　팩스 | 365-8110
　　　　이메일 | morebook@morebook.co.kr
　　　　홈페이지 | www.morebook.co.kr
　　　　등록번호 | 제13-630호(2000.2.9)

편집 | 손 희 조 랑　디자인 | 오경은
영업 | 손원대 설동근　관 리 | 이용승

ISBN 978-89-89251-72-9

* 이 시집은 한국문화예술위원회의 문예진흥기금 지원을 받았습니다.

값 8,000원

# 달의 門下

**박기섭 시집**

작가

　문단에 나온 지 서른 해째다.

　다섯 번째 시집을 묶는다. 이태 전 사설 연작을 따로 추린 『엮음 愁心歌』를 빼면 7년 터울이다. 거듭 보습날을 갈며 민족시의 터앝이나마 제대로 일궈보자 했더니 날이 갈수록 힘에 부친다.

　艾年에 솔거하고 비슬산 자락 솔안松內마을로 거처를 옮겼다. 바람과 햇볕, 나무와 달한테로 가는 길은 늘 가까이 열려 있건만, 여태도 세속을 기웃거리는 일이 잦다.

　짐짓 달의 門下를 자처하나, 한낱 시졸의 푼수로 지분할 일이다.

　돌개울 건너 산이 참다못해 한마디 건넨다. 放下着!

2010년 9월

박 기 섭

# 차 례

## 2부

# 3부

## 4부

## 5부

## 해설

1부

# 낮달

너무 멀리는 말고, 증조나 고조쯤의

수염가위 소리 들리는 중천이다

玉唐木
흙바람 길을

가다 만 듯
아니 간 듯

# 대낮

으능나무 가지마다 두레박줄 걸어 놓고 참매미 떼로
와서 개울물을 퍼 올린다 퍼 올려 목물을 한다


고요하구나


단애

# 겉귀

눗주발에 눈발이 친다

겉귀를
스치는 소리

이미
끊어진 길

가믈 효에 던져 놓고

마음도
저무는 때가 있다

경쇠 소리에
그만

# 책

아버지, 라는 책은 표지가 울퉁불퉁했고
어머니, 라는 책은 갈피가 늘 젖어 있었다
그 밖의 많은 책들은 부록에 지나지 않았다

건성으로 읽었던가 아버지, 라는 책
새삼스레 낯선 곳의 진흙 냄새가 났고
눈길을 서둘러 떠난 발자국도 보였다

면지가 찢긴 줄은 여태껏 몰랐구나
목차마저 희미해진 어머니, 라는 책
거덜난 책등을 따라 소금쩍이 일었다

밑줄 친 곳일수록 목숨의 때는 남아
보풀이 일 만큼은 일다가 잦아지고
허기진 생의 그믐에 실밥이 다 터진 책

# 생의 저쪽

프린터 잉크를 갈아 끼우는 아침

어느 변방 시인의 때 이른 부음이 왔다

서둘러 편집한 가을의 출력지를 받는다

죽음의 단서는 끝내 잡지 못한 채

출력지 모서리를 파랗게 적시는 하늘

억새꽃 하얗게 붐비는 길도 한참 여위겠다

# 以後 詩篇

– 쉰 넷

예서 가믈 玄까진 몇 날 몇 밤이더냐

받아 논 동이 물도 그예 동이 나고

서늘한 아랫목이여, 내 저녁은 쉰 넷


– 쉰 다섯

쉰 다섯 내 나이는
가을도 애지랑날

눈썹 끝에 한두 개쯤 늦별이 뜬다마는

그 별이 어디서 오는지
그걸 모르니… 참

– 쉰흔 여섯

저물 녘 오동꽃에
넌짓 물어 보느니,

오동꽃 지는 뜻을 오동꽃은 아느냐고

불현듯 출렁거리며
기슭을 치는 못물


– 쉰흔 일곱

누가 거두어갔나, 저 개울의 악보를

귀먹은 바위들만 웅크린 채 앉아 있는,

노래가 다 사라져간 쉰흔 일곱의 乾川

# 붉은 먼지

삽과 괭이를 들고 산으로 간 사람들이

천천히 돌아온다 옷자락에 묻은 흙물

도랑가 뿌리를 드러낸 억새 솔새 수크령

상류의 자갈돌들이 머리를 틀어박더니

사람들이 다 내려온 가풀막 잔등 길에

한동안 붉은 먼지 인다 해거름에도 먼 산

해묵은 배롱나무 두어 그루 지키고 선

남평 문씨 본리 옛집 휘움한 처마 끝에

장자의 흰 구름 몇 송이 옛날처럼 떠 있고

# 下半

가을 볕발 아래
벗어놓은 신발 한 켤레

볼은 넓어지고 굽은 굽대로 닳은,
한사코 떠받쳐온 생의, 떠받쳐온 무게여

끈이 풀린 채로 코끝이 뭉개진 채로
下半의 돌너덜을 절뚝이며 가다 말고

흐너진 뉘 무덤 가에
벗어놓은 신발 한 켤레

# 달

무얼 보느냐는
네 물음에
으응, 달

암 것도
모르면서
저 혼자 환한, 달

키 낮은 뽕나무 가지
볼기를 턱
까붙인, 달

달은 왜 보느냐는
네 물음에
으응, 그냥

그냥

못 들은 척
가지를 떠나는, 달

그래, 달
너는 좋겠다
그냥 떠나면 되고

## 불면

새앙쥐 한 마리가 시계 속에 들어갔다 초침 분침에
시침까지 갉아대더니 태엽이 다 풀린 아침 온데간데없
는………… 쥐

# 쥐

한 번 빠져서는 빠져 나오지 못하는, 뼈도 안 남기고
다 발겨낸 독 안의, 쥐

비어서 가득한 고요의, 텅 빈 독 안을 내닫는, 쥐

# 가을 烙畵

물들 것은 물이 들어 제풀에 지쳐가고
익을 것은 제대로들 익어서는 떨어지는,
아무렴, 내 시의 폐업은 저 가을 속일까 보아

마구 험구를 하던 천둥 번개 다 분질러
갖풀에 개어 놓은 온 들녘 금박 가루를
또 어느 화엄 사경에 공출이라도 할까 보아

연해 연방 돋는 가지, 상념의 곁가지들을
사정없이 쳐내느라 이 빠지고 금 간 패도,
그렇지, 그 패도 풀 곳도 저 가을 속일까 보아

# 독 있는 풍경

　더러는 이도 빠진 옹기첩을 들여 놓고 살팍진 엉덩이를 무시로 쓰다듬나니, 아무도 눈치 못 채는 통음의 이 눈부신 발효!

　채워도 채워도 끝내 차지 않는 허기 때문에 독들은 하나같이 입을 벌린 채로다

　게으른 욕망의 곡선이 둔부를 타고 내린다

# 세종로에서

보랏빛이 갈맷빛의 뒤쪽에 있다는 것은

북악산 어깨 너머 북한산을 보면 안다

그것도 숭례문쯤에서 먼눈으로 보면 안다

# 한 끼 밥

  한 끼 밥은 되지 이만치 물러나 살며 늡늡히 휘달려
간 저 지리산 등성이를 척 한번 보는 것만으로도 그러
는 것만으로도

# 나의 청령포

너는 나의 청령포
나의 절해고도

몸 밖에 숭숭 돋은 가시덤불 속의 유배

다시는 세상 쪽으로
나가지 마라, 그러겠다

작달비 천둥 번개
강 기슭을 후려쳐도

다만 살아 있다는 그 사실 하나만으로

시퍼런 벼랑의 허기를
물은 돌아 흐를 뿐

나의 위리안치는
끝내 풀리지 않으리

이미 죽어 버린 日月을 끌어안은 채

다시는 치명의 언 강을
건너지 마라, 그러겠다

2부

# 박빙

승부는 늘
박빙이다

혼신의 질주 끝에 날끝을 들이밀며 의표를 찌르더니
얼음 속 얼음의 속도를

끄집어내는
순간!

# 달의 門下

나는 달의 門下다
달은 높이 떠 있으므로

차면 기우나니,
따라잡지 못할 강론

한 번도 강림한 적 없으되
늘 내 곁에 가득한 달

진흙 수레를 끌고
홀로 가는 구만 리 장천

오직 달빛만이
가르침의 전부인 것

물 속에 잠겼다고 보는가,
그마저도 중천인 것

시장한 초이레 달이
초여드레 달을 위해

조금씩 베어 먹던
그늘을 남겨 두느니,

건너간 하늘 길섶에
먹물 장삼 한 벌

# 가을 木版本

朝鮮後期 木版本
낙질들을 들고 왔다

그냥 종잇값에 넘기고는 가는 가을

흥정도 하는 둥 마는 둥
朝鮮後期 木版本

五針 綴裝의
실끈마저 풀어지고

관주 비점 아니라도
우수수 지는 잎들

殘墨을 닦는 둥 마는 둥
朝鮮後期 木版本

鄕校近處 古書房
겹닫이 卍字窓에

두어 번 군기침을 남기고는 가는 가을

덧문을 닫는 둥 마는 둥
鄕校近處 古書房

# 빈집의 家系

살던 이 떠나자
집도 따라 떠났다
녹슨 문고리에 家系마저 바스러지고
마음은 저무는 참대밭
나부끼는 눈발이다
함석문 바깥쪽을 자꾸 기웃거리더니
감나무 잔가지 몇 툭, 하고 부러진다
우물은 뚜껑이 삭은 채
군기침을 해 쌓고
헛간 시래기 줄에
굴뚝새라도 날아들었나
누가 뭐라는 듯 연신 부스럭거리다
뒤란의 마른 흙담을
몰래 뜯어 먹는 고요
헌신짝을 물고 뜯던 동네 개는 간데없고
괭이도 조선낫도 모지라지면 모지라질 뿐,
그 집에 살던 이 죽자
집도 따라 죽었다

# 뜨는 돌

언 강에
돌을

던진다 겨우내 떠 있는 돌 강물이 풀릴 때까지 무게
를 못 버리고 새봄의 양수 속으로 가라앉았다

뜨는
돌

# 몸 - 우화

　나는 너의 배추벌레, 네 몸을 다 갉아먹고 푸른 즙의
덩어리로 대궁이를 움켜쥔 채 마지막 우화를 꿈꾸는,
가벼워질 대로 가벼워진,

## 조팝꽃

날더러
봄이 그런다,
왜 이리 늦었냐고
그러께 그끄러께 다 두고 이제 왔냐고

얼결에 가지를 흔들다
이우느니,
조팝꽃

# 꽃, 시나위

\*

비슬산 뭇꽃들이 상을 차려 낸 중에도

눈먼 굿당 할매 올벚꽃이 젤입니다

올따라 영감 생전의 신명이라도 지핀 드키


\*

사람 없는 걸 갓집에

산복사꽃 홀로 와서

흐너진 돌담 가에 아궁이를 모아 놓고

다 삭은 쇠솥을 닦아 지에밥을 짓습니다

*

두레상에 잘 차려낸 시골 밥상입니다

따꽃 분꽃에 봉숭아도 보입니다

말라도 나기는 납니다

그 과수댁 분냄새


*

마지막 꽃구경 나온 사람들이 있습니다

명년이면 영영 못 볼 꽃빛 담아 두고자

희미한 눈꺼풀 셔터를 연신 눌러 댑니다

# 봄
— 세 개의 변주


\*

겨우내 속을 비운 술병들이 떠다닌다 묵정밭 둔덕에
도 쑥잎은 새로 돋고 개울에 두레박 내리는 그런 소리
들린다


\*

꽃샘 잎샘이 와 들이치고 메치더니 더는 힘이 부치
는가 깍지를 푸는 눈치다 윗물이 아랫물더러 퍼뜩 가라
깝친다


\*

온 밤내 못물 쪽으로 코끝을 들이밀다 풀잎은 아침
마다 풀잎에 눈을 씻는다 나뭇잎 그 저녁마다 나뭇잎에
귀를 씻듯

# 기념 사진

시간 속에 터지는 섬광의 필라멘트여 값싼 추억의
형광성 분말들이 셔트를 내리는 순간 좌르르르 쏟아지
는,

# 시인 M씨의 초상

기울어지면 기울어진다 담배를 꼬나문 채

달의 하혈이라도 받아내는 시늉이다

캄캄한 협곡에 웅크린 언어도단의 테러리스트

때로는 마른 풀의 先史를 헤집다가

세상의 덧난 상처에 뜨거운 혀를 박는다

한사코 폐부 깊숙이 빨아들이는 늪의 향기

# 미궁

끈 풀린 신발 한 짝 길섶에 버려져 있다 미처 수습치
못한 짧은 비명의 흔적 다급히 오그라붙은 캄캄한 저
바퀴 자국

# 벽서

나는
예지야 씨발 V 죽도록 사랑한다

대못 하나 완강하게 담벼락을 긁어 놓았다 격렬한
못 자국 위로 흙바람이 지나갔다

나도 그러고 싶다 씨발 사랑한다고

온통 긁힌 채로 찢긴 채로 펄럭거리며 내 것도 네 것
도 아닌 마음 한 폭 걸고 싶다

# 아흐, 내 사랑은

아흐,
내 사랑은
울음 동굴이다
켜켜이 쌓여 있는 울음과 울음의 뼈다
수직의 갱도에 묻힌 채 오십 년이 지난 뼈다

오오,
내 사랑은
그해 여름이다
어둠의 어둠 속에 낭자한 혓바닥이다
오열도 기도도 못 미칠 그 폐광의 막장이다

시방,
내 사랑은
금 간 돌미륵이다
눈 멀고 귀 먹은 채 입조차 문드러져
세상의 죄 구렁 가에 멀거니 선 그 돌미륵

*1950년 6월말부터 9월초까지 경산 코발트 광산에서 민간인 3천 5백여 명이 집단 희생된 사건이 있었다. 2007년 7월 유해 발굴을 위한 위령제를 올렸다. 57년 만의 일이다.

3부

# 적멸궁

돌해태
콧등에 지는,

산복사꽃
몇 닢

# 覺淵寺 가을

내게 없는 누님 같은, 각연사 가을입니다 앙감질로
내려오는 산허리 올단풍을 너볏이 치마폭으로 받아 안
는 각연사

흙 속에서 캐내었다는 그 절간 그 돌부처, 어느 전생
이던가 불목하니로 살던 내게 한 그릇 솟국을 먹여 기
운차리게 했던

그 무슨 연분으로 내가 여길 온 것일까 길은 자꾸 투
덜거리며 골짜기로 빠지는데 마음에 못 하나 팝니다,
할 수 없는 각연입니다

# 가을 全集

坊板으로 찍어낸 한 질 전집이네

갈필이 놓쳐버린 대서사의 가을

걸어서 이십 리라네

安東鄕校
에움길

# 宿水寺, 서녘

1
서 있는 게 아니라
탑은, 늘
걸어 다닌다

손 안 닿는 허공 속을, 그것도 한밤중에

그래서 宿水의 아침은
서녘으로 기울고


2
한낮의 목어 소리
기왓골에 먹물 먹인다

남은 먹물로는 나무 그릇을 닦고

설핏한 격자 창살에
어리느니,
물풀 몇 닢


3
내 눈썹에 묻어온 것이 무시로 떨어진다, 무슨 헌데
처럼, 별빛처럼, 싸락눈처럼

그 절간 닫집 너머로 본, 낡은 탱화의, 당채

# 한 소식

1

순천 선암사 무수전 옆 육백 살 된 홍매거사가

백 리 밖 구례 화엄사 흑매아씰 깨운다고

그렇게,

아무렇지도 않은 듯

한 소식을 전하는 봄

2

용연사 금강계단 앞 개울 웅덩이에

hite 병 뚜껑 하나 반짝이고 있었습니다

꼭 무슨 적멸의 뚜껑인 양 반짝이고 있었습니다

3
몇 날 며칠을 두고 흙길을 걸어온 비,

그러께 그끄러께 새경 한 푼 못 받은

용천사 돌물확 가에 와 지분거릴 건 또 뭐꼬?

# 귤동

초당 길은 마삭줄이 다 감아 가불고 강진만에 몰켜
든 여름 비의 흙자국을 무담시 눈 알로 보던가, 귤동 어
귀 뜬구름

낡은 LP반엔 참 숱한 비가 내리고 망가진 스피커의
투정꺼정 섞인개비여 늦마에 귤동 근처를 더디 가는 방
물차

# 제주 바다

*

진창 바위 틈을 안간힘으로 비집고 들어 썰물에도 안 빠지고 남아 버티는 물이 있다

버티다 산탄 맞은 듯 구멍 숭숭 뚫린 물

*

낡은 배 한 척이 온 바다를 붙들고 있다

정박의 시간 속에 검은 닻을 내린, 섬 또한 한 척 낡은 배 온 바다를 붙들고 있다

# 한기가 들어갔다
— 내륙행 · 1

시대의 콧구멍으로 한기가 들어갔다
풀도 나뭇가지도 깡그리 얼어붙어
세상의 문이란 문들이 둔탁하게 닫힌다

영남 내륙의 수척한 골짜구니를
겨울 낙동강의 허기가 지나간다
서리친 배춧잎 같은 인가 몇 채 보이고

바람의 삭정이는 이미 다 부러졌다
대설 주의보 속에 나누는 몇 마디 안부
시퍼런 얼음 장작에 도끼날이 박힌다

# 도리원 부근
— 내륙행 · 2

의성공단 봉양공단 애저녁에 불 다 꺼지고

백열의 가로등만 눅눅하니 비에 젖네

몇몇은 그 비 맞으며 막버스를 기다리고

안계로든 탑리로든 이미 다 구겨진 길

질척한 마을마다 개 짖는 소리도 끊겨

어둠이 어둠 속에서 쿨룩거리는 내륙

# 겨울 엄천강
— 내륙행 · 3


엄엄한 저 엄천강 골짜구닐 비집고 드는

겨울 천수답의 슬픔을 뉘라 알리

눈 속에 끊어진 길들이 비척대는 산의 북쪽

뉘라 알리 또 한 철을 엉겨 붙은 그 슬픔을

한낱 잔기침이나 무서리 걸음으로는

언 강의 강파른 수심을 차마 건너지 못하는

화르륵 타오르는 캄캄한 아궁이 속에

왼 마음의 삭정이를 깡그리 분질러 넣고

한사코 결빙에 갇히는 그 슬픔을 뉘라 알리

# 하학종이 놓친 길
— 내륙행 · 4

몇 마장쯤이던가 하학종이 놓친 길은

보리누름 한철이면 뻐꾸기도 목이 잠긴

그 잔등 오솔길 따라 한 소녀가 오고 있다

솔그늘 자락마다 참꽃 피어 배고픈 날

돌팍샘 물 한 쪽박 내게 넌짓 건네려고

꽃댕기 갈래머리로 한 소녀가 오고 있다

노을 강 물빛 너머 먼 나들이 길도 지쳐

시오리 읍내장은 흙먼지만 잦았던가

먹기와 낡은 빗장을 열어 놓은 그 봄날에

# 관광한국의 봄

　봄은 전세버스 차창에 와 뭉개진다 짙은 선팅으로도
다 못 가릴 그 신명을 빛 바랜 꽃무늬 커튼이 종일토록
출렁대고 복사꽃 아그배꽃 난만한 곁눈질 속에 초록은
또 초록대로 술청을 차리더니 다투듯 헤픈 서정의 옷소
매를 잡아 끈다 헤식은 사이다를 쇠주잔에 따라 둔 채
마른 오징어나 대구포를 질겅거리며 무작정 내달려 가
는 관광한국의 봄이여

# 밤, 바다에서

극단의 신경질적인 반응을 보이다가 이내 잠잠해지는 바다는 알몸이었다, 입가에 거품을 닦으며 연신 숨을 고르는,

연신 숨을 고르며 거품을 닦는 바다, 온통 떼과부의 울먹이는 몸짓으로 새도록 바위 벼랑을 밀어올리고 끌어내리고,

밀어올리고 끌어내리며 海灣은 길게 휘어져 어르듯 대지르듯 모래톱을 뱉아놓고선 끈적한 욕망의 상처를 거칠게 핥고 있었다

# 침선

바늘 끝에 머문 생을 땀땀이 기워 놓고

불기 가신 몸일망정 웬만큼은 추슬러

빈 마음 후미진 터에 단청 한 채 올렸네

철없던 아랫목에 잦아들던 도랑물을

고요의 뒤꼍으로 이냥저냥 흐르게 두고

아긋한 세상 일이야 수실로나 푸는 게지

디새집을 열두 채를 지었다간 허물어도

머리맡에 지분대던 봄비서껀 잠은 멀고

마음도 내 것만은 아닌 여울 가에 나앉았네

# 가을 어느 날
— 이인성, 1934년, 캔버스에 유채, 97*162 Cm


한로는 그끄저께, 드티는 상강절을
마르고 배배 틀린 식민의 가을빛이여
다만 저 검붉은 땅의 그늘만이 무성할 뿐

숱진 머리채를 뒤로 질끈 묶은 채로
맨발로 건너야 할 황량만이 길일지라도
늘어진 꽃가지 하나 휘잡아도 보는 것을

서쪽 하늘은 온통 우레의 흔적이런가
헐벗은 조선의 팔꿈치가 드러나고
채워도 채워도 끝내 비어 있는 바구니여

옥수수도 해바라기도 태양의 노예였거니
무명 치맛자락의 피멍을 삭이면서
늡늡히 떠날 것이네, 황량만이 길일지라도

4부

# 11월


그러므로
11월은
어머니가 없는 달이다

벼 벤 그루터기 봇물은 잦아들고

떠나선
다시 못 오는,
방물장수의
낯선
길

# 즐문

이른 겨울 아침은 수컷들의 시간이다

    생육의 피가 번진 돌도끼를 닦으면서 상처 난 즐문의 생애를 骨角片에 새기는,

# 눈길

어둡고 낯선 길을 언 발로 쏘다니는 세상 모든 아들들은 지명 수배자였거니,

어머니, 눈 위에 찍힌 발자국을 지우신다

# 새 – 부화

막, 껍질을, 깨고 나온, 채, 눈도, 뜨지 못한, 그러면
서 연거푸, 연거푸 뻗대는 새의…… 살 없는, 다리뼈에
번지는, 감파르족족한, 저, 핏물

그 뒤로
새를 보면
잔약한 가슴뼈가, 입안에서 바싹 씹히는 물 젖은 날
갯죽지가,
날것의 비린내 속에 덧게비치곤 한다

# 압력밥솥

허기 속을 휘달리는 증기 기관차처럼 열이 가해질수록 속을 끓이는 밥솥

그렇게 완강한 힘으로 덜컹거리는 추억

# 꽃

1

팽만한 봉오리를 물었다간 내뱉는다 오므리는 한순
간에 진액이 다 빨려든다

흐너진 궁궐 뒷터에 빈 꽃잎만 낭자하다

2

화엄 만다라의 격렬함을 지우고 절정의 벼랑끝에서
서둘러 하강하는

꽃이여, 수줍고 헤픈 마음의 수선스런 한때여

3

몸 한번 꿈틀하며 몸 한번 뒤챌 적마다 우주의 한 모
서리가 분갑처럼 구겨진다

시커먼 한 마리 짐승이 그 꽃 속에 살고 있다

# 半夜

– 홀로 깨어 있으라
늘
되뇌는
단명의 주문

온밤을 서걱이는 잠의 모탕 가에, 날톱밥 켜켜이 쌓
이는 저 역리의 지층 위에,

## 가을 경영학

오랜 징역을 풀고
철창문을
막 나서는,

어느 늙은 수인 앞에 그해의 첫 나뭇잎이 지다

핏기도
가실 만큼은 가신
그런, 가을의 경영학

# 폐막

서둘러 소품을 챙겨 무대를 내려선다

텅 빈 객석에 가득한 박수 소리

등뒤로 한 줄기 비명이 섬광처럼 지나간다

# 으능의 가을

국립 박물관 뜰에 으능의 가을이 왔다

가야사 강좌를 듣는 중년의 여인들이

몇 장씩 책장을 넘기며 재우치는 가을이 왔다

닦아 금은 될 양이면 돌인들 못 닦으랴

번지는 녹물 속에 왕조는 이미 기울고

몇 조각 흙그릇으로는 다 못 담을 가을이 왔다

# 눈썹

나

잠깐

잠든 눈썹에

서까래를 뉘 얹었누?

# 두 개의 만돌린을 위한 협주곡

더러는 찰방찰방 도랑물을 건너듯이

그 도랑가 자갈밭에 발이라도 말리듯이

얼결에 되건너와선 다시 발을 말리듯이

도랑물 건널 적에 움켜쥔 바지춤을

물수제비 시늉 끝에 문득 놓아 버리듯이

꾀벗은 알종아리로 땡볕이나 퉁기듯이

# 새벽 여울 아니라면

— 춤 · 別曲

새벽 여울 아니라면 서녘 붉깔입니까

정이월 해 짧은 날 남아 부신 볕닙니까

한 그릇 세숫물 속에 흘러 넘친 고욥니까

## 슬픔도 그만하면

슬픔도 그만하면 앙갚음을 한 것 같고
기쁨은 기쁨대로 덤을 얹어 준 듯한데
갈수록 내 안의 빗장은 녹빛 짙어 가던가

수지 타산이야 애시당초 글러 버린,
이식도 아니 남는 두어 떼기 천둥지기를
모질게 붙들고 왔네, 그나마도 분복이라고

버력이건 감돌이건 이미 금이 간 목숨
종구라기 하나에도 다 안 차는 가을볕을
그 무슨 거랑금인 양 추켜들고 볼 것인가

# 紅流洞

紅流洞 단풍물에 말은 죄 저당 잡히고

그 저당 풀 생각마저 덤으로 저당 잡혀

눈 뜬 채 추레한 입성을 감출 데가 없구나

억새가 될 말들은 억새로 다 흐드러지고

붉나무 될 말들은 붉나무로들 타붙는데

지친 내 근시안 밖에 목숨이야 한 벌 진솔

지상에 남은 술은 구름 위에 부어 놓고

아주 알몸으로 물가에나 나앉을까

이 저승 환한 돌문을 누가 밀고 올 것처럼

5부

# 인간

### 1

긴 팔로 땅을 짚고 기다가 가끔 허리를 들고 엉거주
춤 선 채 먼 산을 보고 주저 없이 벼랑을 뛰어내리는 폭
포 앞에서 직립의 뼈를 씻었다

돌을 깨고 돌을 갈며 나무를 깎고 나무를 다듬으며
빙하와 만년설을 넘고 화염의 골짜기를 지나 거친 평화
의 풀밭으로 나아갔다

마침내 천천히 일어나 걷기 시작했다, 인간

### 2

인간은 기린의 목을 갖지 않았다
긴 목을 빼고 보기보다는 때로 엎드려 숨을 줄도 알
아야 했기 때문이다
긴 목을 숨길 데라곤 허공밖에 더 있느냐

인간은 사자의 이빨을 갖지 않았다
굶주린 이빨로 생육을 찢는 대신 잡식의 식욕에 길
들여졌기 때문이다
이빨은 언젠가 빠진다 더 무엇을 찢으랴

인간은 순록의 뿔을 갖지 않았다
뿔과 뿔을 겨르트는 각축 대신 간교한 사통의 체위
를 익혔기 때문이다
체위가 풀리는 곳에 뿔의 위엄은 없다


3
지느러미와 물갈퀴와 부레를 버리면서 야만의 털을
뽑고 날갯죽지와 꼬리뼈를 감추면서 곧추세운 등뼈가
떠받친 뇌 속에 연신 차고 넘치는 늪을 키웠다

동쪽의 검은 폭풍 속에서 대삼림의 아득한 비명을
듣고 깎아지른 협곡의 북쪽에 검푸른 당나귀 떼의 뼈를

묻고 남쪽의 황폐한 사냥터에서 피 묻은 돌칼의 온기를
닦았다

　끝내는 불멸의 서쪽으로 걸어 들어갔다, 인간

# 발바닥 자리, 눈

　콘크리트로 덮은 동네 뒷산 임도 한 모퉁이에 산짐
승의 발자국이 어지럽게 찍혀 있다 눈여겨보니 건너갈
까 말까 망설이며 마음을 오그렸다 폈다 한 자취가 역
력하다

　살아서 그렇게 종적을 남긴 산짐승의 발자국 화석이
저 까마득한 원시의 원시림을 끌어당기고 세속의 변방
을 떠도는 먼 눈발을 불러온다

　옴팍한 발바닥 자리, 눈이 먼저 녹는다

# 하늘 시인

간밤에 시인들이 떼로 몰려 왔습지요 연거푸 파지를
내며 머릴 쥐어 뜯으며 밭두덕 비탈마다 술잔을 내던지
며 그렇게 온밤을 짓치던 하늘 시인들입죠 개울을 줄기
째 들었다 태질을 치곤 했다는데요

# 즈믄 사랑의 노래

　그래, 우리 사랑은 즈믄 해나 그 즈믄 해 전의 어느 안 마르는 우물 안에서 하냥 푸르고 맑은 적막이 토해 내는 물이끼나 받아 먹고 살던 비단잉어의 그것이었을까 몰라 비단잉어의 그것이었을까 몰라

　아니면 또 어느 후미진 절간의 태 먹은 돌종이 받아 내는 먹뻐꾸기 울음소리나 듣고 수백 리 솔밭길을 한달음에 휘달려 오던 연꽃향기의 그것이었을까 몰라 연꽃향기의 그것이었을까 몰라

　아, 그래, 그도 아니면 그냥 눈먼 세월 밖에서 즈믄 해나 그 즈믄 해 전의 일은 아주 영 잊어 버린 듯 먼눈 뜨고 선 돌장승의 그것이었을까 몰라 돌장승의 그것이었을까 몰라

# 宿世의 연잎

경상북도 고령군 다산면 호촌리 앞 들녘에 남아 붙은 늪물 속엔 둑 저쪽 강물 쪽으로 한사코 목을 빼고 사운거리는 사춘의 연잎들이 있는데요

그 연잎들 사운거림을 그냥 속절없이 한 식경쯤 바라보고 있을라치면 그래요, 내 서너너덧 번 전생의 어느 먼 나들잇길 끝에 만난 술국집 생각이 울컥 치밀기도 하는데요

그 흙집 담 너머로 언뜻 스치던 뉘 앞섶이라니!

# 늙은 매미 악사

우리집 으능나무가 온몸으로 내어뿜는, 온몸의 잎사
귀로 내어뿜는 향기 속엔 그래요, 내 짧은 여름 한낮의
엷고 푸른 낮잠이 들어 있기는 들어 있는데요

그 낮잠의 엷고 푸른 그늘 속으로 늙은 매미 악사가
와 금세라도 바스러질 듯 낡은 망사 악보를 꺼내 드는
것을 넌지시 실눈을 뜨고 보기는 보는데요, 되우 마려
운 오줌이라도 참는 듯이 연방 오금을 접었다 펴는 그
맑고 고요한 음악을 듣기는 또 듣는데요

그래요, 절창은 참 절창이다 싶은 순간 뚝, 그친

# 청동의 고요

1

마지막까지, 청동의 종신이 마지막까지 움켜쥔 것이
고요다, 청동의 고요다

나무 벌레처럼 소리의 껍질을 파고들어 소리의 속살
을 다 파먹고 그 속살 속에 새까맣게 웅크린 소리의 뼈
까지 다 발겨낸 것이 고요다, 청동의 고요다

   – 저물 녘 되새 떼를 삼켰다 게워내듯 하는 그것


2

입을 쩍 벌린 채 달려드는 鯨魚에 놀란 蒲牢가 울면
서 물어낸 것이 소리다, 청동의 소리다

세상을 떠도는 왁자한 울음만이 밥인 경어에 놀란
포뢰가 울면서 물어낸 그것, 포뢰가 울면서 울면서 먼
데까지 물어낸 그것이 소리다, 청동의 소리다

   – 넌지시 그넷줄을 굴려서는 내어밀 듯하는 그것

# 꽃작약

꽃작약 내음새여, 이미자의 낡은 LP반에 붐비는, 각 북초등학교 가교사 앞 터앝에 물큰한, 꽃작약 내음새여

푸르고 맑은 적막이여, 각북초등학교 가교사 앞 터 앝에 붐비는, 이미자의 낡은 LP반에 물큰한, 푸르고 맑 은 적막이여

해름 녘 트럭 행상을 절뚝거리며 따라감이여

# 上水月*

　달이 뜨면 그 달이 물에 담겨 거짓말처럼 한 오 리쯤
떠내려가기도 한다는,

　떠내려가다는 말고 "어허, 저기 달이 떠내려가네"
한마디에 또 한 식경은 좋게 머뭇거리기도 한다는,

　먼 上代 斯盧 六部村 그 윗뜸의 上水月

*경상북도 청도군 비슬산 자락에 있는 마을.

# 푸른 수염
― 김굉필의 죽음

의관 정제하고 신발을 고쳐 신다

세상 그 어떤 죽음도 죽음보다 더한 죽음도 시대의
陰翳를 쓸던 푸른 수염 한 올 적시지 못하거니,

손으로 수염을 다듬어 입에 물고 간 사람

# 대낮
― 잉어 이야기


치어들이 꿈틀거리는 물봉지를 든 한 무리 방생꾼들
이 강변 쪽으로 가고 있었다
길옆 매운탕집 수족관을 박차고 나온 잉어 한 마리
길바닥에 나동그라진다 느닷없다

대낮의 흙먼지 속에 벌름거리는, 검붉은⋯ 그것


때마침 점심 공양을 마친 관세음보살이 방생꾼 차림
으로 그곳을 지나가고 있었다
놀란 사내의 뜰채가 와 도로 수족관에 집어넣는 순
간 잉어는 또 한 번 홱 몸을 날려 길바닥에 드러눕는다

대낮의 물봉지 속에 꿈틀거리는⋯ 검붉은, 그것

# 폭풍
— 피아노 이야기(서혜경, 48)


*

라흐마니노프 피아노협주곡 2·3번, 중천을 짓쳐가
는 숨찬 화음의 여울목에 한 쌍의 진주 귀고리가 떨어
졌다

나비 떼가 나풀거리고 느닷없는 연어 떼가 뛰더니,
공중에 뜬 팔이 절제의 포물선을 그리며 떨어지는 순간
건반은 온통 함박꽃 천지였다

온몸이 음악이었다, 흐느끼는 三更


*

여덟 번을 지쳐 눕고 서른 세 번의 방사선이 칼금을
긋고 간 그의 몸을 번쩍 무대 위로 들어올린 건 한 대의
피아노였다

어둠 속에서 피아노 쪽으로 걸어 나온 그가 쏟아지는 뭇별들을 옷자락에 받으며 말했다 "마흔이 넘어서야 겨우 조금 피아노를 알 수 있었어요. 피아노는 제게 산소와 같은 존재죠."

　폭풍이 휩쓸고 갔다, 타오르는 客席

# 天元
## ― 바둑 이야기

품계 25단의 두 고수가 한 판 대국을 펼치는데 먼저
흑을 쥔 고수가 돌을 들고 두어 식경을 생각터니 19路
361戶의 중앙을 빵 때렸다

그러자 백을 쥔 고수가 다시 돌을 든 채 두어 식경을
생각터니 땀을 콩죽같이 흘리며 내뱉은 한마디 "졌소"
네 귀의 화점도 어쩌지 못하게 天元이 콱 막혀 버린 것
이다

– 옛날에 옛날 만화방서 본 옛날 만화 얘기다

# 퇴계 종택에 가서

1

경상북도 안동시 도산면 토계리, 휘휘한 산모롱이를
몇 굽이 감아 돌자 웬걸, 고색이 창연한 기와집이 한 채
어디 먼길이나 다녀온 듯 깊고 습습한 초봄의 양지에
털썩 주저앉는다

콘크리트 다리를 건너 콘크리트로 바른 대문 앞마당
에 차를 대자 담 안의 서늘한 기운이 확 끼친다 때마침
烈女通德郎行司醞署直長李安道妻恭人安東權氏之閭를
활짝 열어젖뜨리는 순간, 마음은 알 수 없는 현기 속으
로 걷잡을 수 없이 빨려 든다

갓 눈뜬 산수유 꽃가지가 다급하게 붙드는 그 마음

2

떨어진 베니어판지로 앞을 가린 흙담 모퉁이 측간이
길 바깥쪽 풍경을 자꾸 힐끔거리고, 힐끔거리는 동안

秋月寒水亭 너머 넌지시 웅크린 산등성이가 천천히 걸어 내려와 추월한수정 툇마루에 앉은 봄볕을 후후 불어 쌓는다

　큰 법일수록 본시 작은 시내를 따르는 법, 큰 법이 쪽문을 지나 솟을대문을 넘나드는 것도 실은 저 촘촘한 격자창살이 바람을 시켜서 한 짓일 터, 마음 위에 마음을 놓아 낡은 집의 허기를 거두어 보지만 끝내 볕살 바신 툇마루 가에나 잠깐 앉았다 갈 뿐인 미혹이여 미혹이여

　그렇게 쪽문이나 기웃거리다 갈 뿐인 내 세속의 미혹이여

# 그곳, 불콰한

*

그곳에 아이를 못 낳는 만삭의 3월이 있고, 봄이 와
도 돌아갈 줄 모르는 철새들의 썩은 날갯죽지가 있고,

그곳에 쑥잎 머위잎이 징거맨 숱한 상처의 실밥 자
국이 있고, 늦눈 그친 골짜구니 고라니 삵 승냥이 떼 붐
비는 바위 벼랑 끝 낯선 평화의 울부짖음이 있고,

그곳에 세상 모든 어머니의, 마른 젖가슴의 멍울이
있고,

*

그곳에 5월이 있고, 5월의 청춘이 있고, 5월의 청춘
이 들이켜다 만 비릿한 유혹의 끈적거림이 있고,

그곳에 한사코 서로 서로만 고개를 묻는 진흙
수렁 속 연꽃의 시간이 있고, 착 가라앉은 무중력의 고

요 속에 속절없이 괴어 오른 초록 그늘의 술지게미 냄새가 있고,

그곳에 칭얼거리며 보채며 먼길을 에도는 실개천이 있고,


*

그곳에 큰키나무 우듬지의 8월이 있고, 낡은 수레를 몰아 캄캄한 밤 수풀을 우르르 쾅쾅 휘달려가는 불콰한 천둥 번개의 길이 있고,

그곳에 물레를 던져버린 외눈박이 도공의 흙 묻은 턱수염을 스치는 불완전연소의 숯검정이 있고, 수취인 불명의 편지를 든 채 종작없이 빗길을 헤매고 다닌 말더듬이 집배원의 늦은 귀가가 있고,

그곳에 젖동냥 가는 홀아비의, 더듬거리는 지팡이가

있고,

\*

그곳에 줄 끊어진 첼로의 11월이 있고, 팔목 붕대를 풀며 텅 빈 무대를 휘돌다 일순 고꾸라지는 주정뱅이 첼리스트의 이 빠진 술잔이 있고,

그곳에 기름 등불 사위는 저녁의 돌담 길을 적시며 오는 먼 쇠북 소리가 있고, 술이 눈썹 밑까지 차올라 돌아가는 후미진 숲정이에서 붉은 수염의 토째비를 만나 씨름도 한 판 하고 더러 담뱃불도 얻어 붙이곤 하는 시오리 저문 장길이 있고,

그곳에 외딴집 벙어리 부처가 밤 마실 가는 산모롱이가 있고,

# 비슬산에 숨어 사는 외톨박이 시인의
# 형식과 언어

### 김헌선
### (문학평론가)

## 1. 비슬산 솔안松內의 외톨박이

시인이 말했다. 일곱 해를 터울로 하나의 시집을 낸
다고 했다. 시 하나 하나가 옹골차고, 생에 대한 근본
통찰을 보여주는 것들이어서 독자를 긴장하게 한다. 언
어를 조탁한다는 진부한 표현이 오히려 새로운 뜻을 갖
게 하는 시인은 그러한 시혼을 지닌 사람이고, 결코 시
들하거나 낡은 말들과 생각을 전개하지 않는다. 수천
년의 시간 경과를 가늠하게 하면서도 항상 새롭게 살

수 있는 비결이 무엇인지 자못 궁금해졌다.

비슬산은 일설에 의하면 힌두의 주신 가운데 하나인 비슈누(Vishnu)가 깃들어 사는 산이라고 해서 붙여진 이름이라고 전하기도 한다. 세계를 창조하고 보호하는 신이 있다고 하는 것은 망상은 아닌가? 이 세상이 급변하고 과학과 우주만물이 모두 상품적 가치로만 환원되는 시대에 진정으로 비슬산에 비슈누가 따로 있다고 하는 속설은 헛된 것은 아닐까?

시인이 한때는 진정한 세상의 준거였던 시절이 있었다. 그러한 시대는 총체적인 질서를 소중하게 생각하고, 이성적인 사고보다 이성을 넘어서는 신앙이나 통찰을 중요하게 여기던 시절이었다. 개개의 생명도 소중하고, 전체의 생명을 관장하던 원리도 소중하던 시절이었으므로 시인의 시적 정서가 사람을 일깨울 수 있던 시절이었기 때문에 가능했다.

비슬산에 비슈누가 산다고 하는 믿음이 말을 만들고, 지금도 그 시절의 신앙을 따르고, 그러한 신앙으로 한 세상을 사는 방식이 가능하다고 하는 일군의 사람들이 있다. 이러한 사람 가운데 박기섭 시인은 비슬산의 한 자락을 차지하고 오래된 시어를 골라서 새로운 생명을 불어넣는 놀라운 일을 하고 있다.

문학의 언저리에서 항상 그리움을 가지고 있던 사람에게 정신을 차리게 하고, 우리가 사는 삶이 잘나가는 것만이 전부가 아니라, 이름 없고 한편에 치여 사는 것들이 매우 소중하다고 하는 생각을 거듭 일깨우고 있다. 그동안 오래 눈을 감고 깊은 잠을 자던 사람들을 흔들어 깨우는 박기섭 시인은 진정으로 이 시대의 시인이고 은자이다.

비슬산에 사는 시인이 시집의 제목을 『달의 門下』라고 하였다. 이 무슨 말인가? 알쏭달쏭한 말 같아서 법어인지 선어인지 이상할지 모르겠지만, 한 편의 작품 또는 여러 작품에서 그러한 흔적을 찾아낼 수가 있다. 경상북도 청도군 비슬산의 솔안松內이라고 하는 마을이기도 하고, 시인의 시심을 읽어낼 수 있는 것이기도 하다.

낮은 곳에 이르러서 하심을 바라보는 높은 곳에 있는 달, 차고 기우는 원리를 가르쳐주는 절대적인 진리의 강론 등이 이 시인이 추종하는 이 시대의 통찰이다. 달이 지구에 부딪혀서 지구에 잡혀 자전과 공전을 하게 된 과학적 내력은 그다지 중요하지 않은 비밀이다. 그것보다 우리의 삶을 관조하고 믿는, 그래서 지구에서 달이 일 년에 5센티씩 멀어진다는 것과 관계없이 삶의 진정성을 직시하고자 하는 것이 시인의 임무이다.

시인을 만나서 새로운 진리를 알고 삶의 부피와 깊이를 넓힐 수 있는 시를 쓰는 시인이 많지 않은데 이 시인을 통해서 근본적인 것들, 문학에 대한 열정, 시조에 대한 깊은 사랑 등을 알 수 있게 된 것은 생의 커다란 행운이 되었다. 시인의 시를 읽은 보람을 이하에 쓰면서 존경과 감탄을 보내고자 한다.


## 2. 시조의 형식과 내용에 대한 진정한 탐구

시인은 시조를 표방하고 있지만, 시조인가 의문스러울 정도의 형식적 모험을 핵심으로 하고 있다. 시인이 형식을 필요로 했다고 하는 것보다 시의 내용이 시의 형식을 요구했다고 보아도 좋을 정도로 시인은 자신의 생각을 스스럼없이 시로 표현하는 대담함을 보이고 있다. 간단한 형식에서 복잡한 형식으로 시의 형식을 파괴하면서도 유지하는 놀라움을 지니고 있다.

시의 내용을 핵심적으로 전달할 수 있다면 시인은 낡은 형식을 새롭게 하는 면모를 과시한다. 다음의 시편들을 보기로 한다.

돌해태
콧등에 지는,

산복사꽃
몇 닢

　　　　　　　　—「적멸궁」


나

잠깐

잠든 눈썹에

서까래를 뉘 얹었누?

　　　　　　　　—「눈썹」


새앙쥐 한 마리가 시계 속에 들어갔다 초침 분
침에 시침까지 갉아대더니 태엽이 다 풀린 아침
온데간데없는………… 쥐

　　　　　　　　—「불면」

세 편의 시는 시조이면서 시조가 아니다. 시조인 것은 이 시인의 주된 정조가 시조의 형식적 특징을 올곧게 유지하고 있으면서 추구하고 있기 때문이다. 그러나 민족시의 형식을 추구하면서도 시조를 혁신하고자 하는 놀라운 혁신이 이루어졌다. 앞의 두 작품은 시조의 한 장을 빌어서 나누어쓰자 기이한 시상을 과감하게 전개하는 데 경이로움을 보여주었다. 한 장이 한 행이 되어버린 시조시의 전통이 자칫 진부할 수 있다는 점을 고려한다면 이러한 형식의 시도는 한 행을 네 토막으로 나누어씀으로써 새로운 시도를 가능하게 하는 소인이 된다.

시어를 아끼고 시상을 단출하게 함으로써 얻는 효과는 극대화되었다. 시인의 숨 고르기에 의해서 자신의 생각이 입체화되어 전개되는 기이한 일이 발생하게 되었다. 자신의 눈썹을 보고 지은 시 역시 시를 층시로 구성하면서 하나의 말에서 둘로, 둘에서 다섯으로, 다섯에서 여덟으로 층층이 쌓으면서 시는 한 채의 기와집을 지은 듯이 구성했다. 시인의 형식적 탐구는 그러한 점에서 기이한 면모를 보이고 있기까지 하다.

마지막 시에서는 불면의 상황을 생쥐를 찾는 것으로 구성하고 있다. 왜 불면을 말하면서 쥐를 주인공으로 했는지 자못 의문이 생기지만 쥐는 혼쥐라고 하는 전통적 설화에서 인간의 정신적 외출을 상징하는 것으로 늘 상 쓰이곤 한다. 그러한 상징을 이어받아서 이를 한 줄로 길게 이어서 쓰고 이에 따른 생략법을 쓰고 쥐라는 단어를 마지막에 배열했다. 그러면서 쥐를 찾아가는 과정을 종장의 시행 구성으로 보여주었다. 이 점에서 이 시는 매우 중요한 형식적인 시험이다.

시 형식에 얽매이지도 않으면서 시조를 올연하게 잇고자 하는 시인의 정신을 평가할 필요가 있다. 시조시를 전통적으로 계승하면서 형식을 새롭게 하고 전통을 혁신하는 일은 시인의 깊은 시혼에 맞닿아 있다는 생각을 지울 수 없다. 시행과 문장, 율격과 음절 등의 관계를 적절하게 균형을 탐구하는 것이 이 시인의 진정한 창조력이라고 할 수가 있다. 이 점에서 이 시인은 깊은 정신적 자산을 지니고 있는 민족어의 일꾼이다.

전통적인 형식을 고수하고 있는 시편들 가운데서 시행과 문장의 어긋남을 보여주면서도 전체적 통일성을 완전하게 보여주고 있는 작품 하나를 보면 시인의 솜씨가 어느 정도인지 실감할 수가 있을 것이다.

물들 것은 물이 들어 제풀에 지쳐가고

익을 것은 제대로들 익어서는 떨어지는,
아무렴, 내 시의 폐업은 저 가을 속일까 보아

마구 험구를 하던 천둥 번개 다 분질러
갓풀에 개어 놓은 온 들녘 금박 가루를
또 어느 화엄 사경에 공출이라도 할까 보아

연해 연방 돋는 가지, 상념의 곁가지들을
사정없이 쳐내느라 이 빠지고 금 간 패도,
그렇지, 그 패도 풀 곳도 저 가을 속일까 보아
　　　　　　　　　　　　　　　─「가을 烙畵」

　가을의 풍경을 낙죽화로 그린 듯한 이 작품은 세 작품을 이은 연시조이다. 시조에서 핵심은 작품의 반복과 시상을 전개하는 방식에 있다. 매연의 마지막 시행은 '허사+2+3+～ㄹ까 보아'의 형식을 선택하고 있다. 반복에 의한 가을이 온 느낌을 말하고 다른 것들을 새롭게 넣어서 가을의 완연한 풍광과 정취를 그려냈다.

　그런데 더욱 흥미로운 점은 가을 단상을 포착하는 시상에 있다. 가을의 풍경, 가을의 누런 금박 가루, 자신의 정취 등을 노래로 하고 있어서 1, 2, 3연이 서로

긴밀하게 맞추어져 있다. 1연은 눈앞에 펼쳐진 파노라마를 노래하고, 2연은 가을의 쓰임새를 노래로 하고, 3연은 자신의 정취를 노래로 하고 있어서 선경후정의 맛을 물씬 풍기고 있다.

가을은 이울고 색상이 변화하지만 그 변화 속에서 만물을 반성하게 하는 계절이다. 이 반성이 미래를 여는 것임을 다시 생각하게 한다. 가을의 황금은 한 바다에 이르는 화엄의 세계를 사경하는 듯한 것이므로 공출한다는 생각을 전개하였다. 상념의 가지를 쳐내고, 이상념을 벗어나 빈 것을 생각하게 하는 계절임을 절실하게 표현하였다.

이 작품에서 기발한 시상을 전개하면서 그것에 동조하고 함께 꾸미는 것으로 이른 바 3장의 첫 귀들이 빚어내는 허사들은 판소리의 추임새를 연상하게 한다. '아무렴— 또 어느—그렇지' 등의 호응은 시인의 솜씨가 단순하지 않음을 쉽사리 느끼게 한다. 말맛을 알고 형식을 맵자하게 다루는 시인의 임무를 다시금 절감하게 한다.

시인을 평가하면서 시조시를 쓰면서 시조시가 아니라고 하는 생각을 피력한 바 있다. 시인은 형식을 필요고 하고, 형식의 진정성은 내용을 표현하는데 있다. 내용이 새롭기 때문에 형식의 놀라운 파격을 필요로 하였다. 형식과 내용의 상호보완적인 관계에 있지만, 이 말의 실상을 명실상부하게 보여주는 것이 바로 이 시인의 놀라운 면모이다. 그런 점에서 이 시인은 민족시의 전통 고수자이면서 파괴자이다. 파괴를 함으로써 민족시의 범위를 한껏 확장하고 있다.


## 3. 시어의 조탁에 의한 민족시의 혁신

시인은 시어를 모래알 속에서 금싸라기를 고르는 듯이 소중하게 발굴해서 쓰고 있는 것이 역력하다. 민족의 언어가 웅숭거리고 있는 깊은 우물 바닥에 두레박질을 하여 하나씩 길어내어 쓰듯 우리가 알고 있던 단어도 되돌아보고 이를 시어로 승화하고 있다. 한 작품에서 파격적인 시어를 구사하는 대목을 볼 수가 있다.

새벽 여울 아니라면 서녘 붉깔입니까

정이월 해 짧은 날 남아 부신 볕닙니까

한 그릇 세숫물 속에 흘러 넘친 고욥니까

「새벽 여울 아니라면

  - 춤 · 別曲」


반대로 된 대극적인 것이 서로 깊은 관련이 있는 상
태에 대한 통찰이 눈에 띈다. 삼 장의 말미를 모두 '~
ㅂ니까'로 반문하면서 서로 대극적인 것의 부조화를
말하고 있다. 새벽과 저녁 노을, 짧은 해와 부신 볕뉘,
한 그릇 세숫물의 꽉참과 흘러넘치는 고요 등이 직접적
인 대립을 이루고 있어서 서로 좋은 조화가 무엇인지
생각하게 한다. 관영의 상태도 아니고, 『노자』에서 말
한 "大盈若沖 其用不窮(텅빈 것이 크게 찬 것이어서 쓰
임이 궁색하지 않다)"의 그것도 아니다. 차면서도 모자
라는 그것에 대한 심오한 비밀을 말하고 있다.

생각이 특이하고 이 생각은 항상 역설과 모순을 당
연하게 여긴다. 춤이라고 하는 것은 모순의 조화를 궁
구하는 예술이므로 이러한 말을 했을 것이다. 그런데
이러한 생각을 드러내는 데 적절하다고 생각한 것이 바
로 시어였다. 부러 시인은 마지막의 말을 강조하기 위
해서 '붉깔 · 볕뉘 · 고요' 등의 시어를 배열하였다. 이
말은 예사로이 보아넘길 수 없다.

창조한 말도 있고, 전통적인 말을 다시 사용한 것도 있고, 있는 것을 골라내어 쓴 말도 있다. 이 세 가지를 함께 쓰자 전혀 다른 시상이 구성되었다. 춤은 온갖 것을 총일하게 하나로 합치면서 모순과 갈등을 극복하는 역설의 미학이다. 이 역설을 시인은 특이한 언어로 명쾌하게 읽어낸 것이다.

시인의 언어 탐구는 단순한 작업이 아니다. 포괄적이고 궁극적인 삶의 인식을 담아내기 위해서 쉬임 없는 담금질을 하는 연속선상에서 이루어지는 실존적인 작업이고 과거시제가 아니라 미래시제의 긴장을 담고 있는 것임을 우리는 읽어낼 수가 있다. 「以後 詩篇」을 보면 잔잔한 긴장의 시어를 다시 만날 수가 있다.

쉬흔 다섯 내 나이는
가을도 애지랑날

눈썹 끝에 한두 개쯤 늦별이 뜬다마는

그 별이 어디서 오는지
그걸 모르니… 참

　　　　　　　　　　—「쉬흔 다섯」

더 이상의 꿈도 꾸어지지 않는 이순과 지천명의 사이에서 가끔씩 찾아오는 영혼의 반짝임을 극적으로 표현한 작품이다. 시어를 적절하게 구사하고 문맥적인 의미를 본다고 하더라도 말에 긴장미가 도는 느낌을 줄 수 있다. 시인의 인생은 참 모순 투성이다. 무엇인가 소식이 오지 않는 갑갑함 속에서 이따금 고개를 들고 찾아오는 이상한 힘을 우리는 무엇이라고 할 것인지 그러한 시심의 발동 순간을 명쾌하게 표현하였다.

누가 거두어갔나, 저 개울의 악보를

귀먹은 바위들만 웅크린 채 앉아 있는,

노래가 다 사라져간 쉰흔 일곱의 乾川
　　　　　　　　　　　　　—「쉰흔 일곱」

시인의 시어가 자신만의 순우리말로 도달하지 않는다. 적절하게 한자어로 표현함으로써 시상이 지니는 긴장미를 시어로 드러내는 솜씨가 예사롭지 않다. 종장에 건천이라고 하는 한자어를 배열하고 이를 집중적으로 시상을 몰아가는 것은 탁월한 언어감각을 보이는 것이라고 할 수가 있다.

굽굽이 돌아드는 노래의 가락을 이렇게 표현함으로써 시인의 일생, 시인의 노래, 시인의 언어가 결코 낡은 것이 아님을 표현하고 있다. 오히려 귀가 먹자 노래가 다 사라지는 것이 아니라 새로운 차원의 노래가 거듭 다시 태어나고 있다. 귀를 먹자 귀가 밝아지고 눈이 맑아지는 역설을 우리는 겪는다. 시어인 건천 하나에도 지명과 상징을 결합하는 입체적 진전이 긴요하다.

역설의 행간에 전통이 지속적으로 작용한다는 점을 우리는 다시 환기할 필요가 있다. 이현보의 시조에서 발견하는 농암의 형상들, 건천이라고 하는 지역이 주는 낡은 내의 새로운 이미지 등이 결과적으로 매우 특별한 힘을 주는 것을 볼 수가 있다. 전통을 시어로 갈무리하면서 행과 행의 행간을 놓치지 않는 시인의 감수성과 해박함을 다시금 환기하게 된다. 낡은 것은 미래일 수 있는가? 시인은 온몸으로 이를 극복하고자 하였다.

시어를 조탁하면서 민족시의 새로운 가능성을 열어젖히는 것을 우리는 직감할 수가 있다. 시조가 낡은 갈래인가 의문이 있다면 박기섭 시인이 쓴 시와 만나라고 감히 말하는 것은 착각인가? 전혀 그렇지 않다. 시어가 살아나고 시상이 살아나는 긴장된 체험을 우리는 하게 된다.

혁신은 낡은 것을 새롭게 하는 것이 아니다. 혁신은 낡은 것에 의미를 새롭게 부여하는 것이다. 낡은 것의 다면적 의미를 환기하는 시인의 골똘한 탐색을 우리는 공감하지 않을 수 없다. 시인의 시를 읽어나가면 시어의 쓰임새가 일상적이지 않고 언제나 한 수 위를 내보이는 것임을 절감하게 된다.


## 4. 영원한 그리움의 보편적 탐구

시인을 집요하게 만나기 위해서는 반드시 일곱 해 터울로 된 시집을 읽었어야 하는데 그럴 겨를을 갖지 못했다. 다만 이번 시집만을 통독하면서 여러 작품이 뭉클하게 했지만 인류의 영원한 문제인 부모와 자식의 관계를 탐구하게 하는 작품이 예사롭지 않다. 인류의 역사에 대하여 깊은 참구를 한 작품이 있지만, 인간의 보편적 주제인 부모를 갸륵하게 기억하는 작품은 우리를 새로운 차원의 통찰로 이르게 한다.

책이 우리 인류의 영원한 지적 보고이듯이 시인은 퇴색한 과거에 미래적 의미를 부여하는 일을 종종 하곤 한다. 이 작품에서 보편적인 부모에 대한 생각을 읽어낼 수가 있으므로 이 작품을 길게 전문 인용하고자 한다.

아버지, 라는 책은 표지가 울퉁불퉁했고
어머니, 라는 책은 갈피가 늘 젖어 있었다
그 밖의 많은 책들은 부록에 지나지 않았다

건성으로 읽었던가 아버지, 라는 책
새삼스레 낯선 곳의 진흙 냄새가 났고
눈길을 서둘러 떠난 발자국도 보였다

면지가 찢긴 줄은 여태껏 몰랐구나
목차마저 희미해진 어머니, 라는 책
거덜난 책등을 따라 소금쩍이 일었다

밑줄 친 곳일수록 목숨의 때는 남아
보풀이 일 만큼은 일다가 잦아지고
허기진 생의 그믐에 실밥이 다 터진 책

―「책」

아버지와 어머니의 근원적 탐구가 이 작품에서 엿보인다. 책은 모두 4장으로 구성되어 있다. 두 책의 비교가 제1장이다. 1장을 통해서 전통적인 관념의 부모론이 진지하게 검토되고 있다. 아버지론과 어머니론은 간결하게 비교될 수 없다. 아버지의 굴곡과 어머니의 젖은 슬픔은 언제나 누구에게서 확인되는 보편적 주제의 설정이다.

이 책의 제2장은 아버지론을 하고 있는 주제이다. 그렇다. 항상 궁금하고 무엇인가 모를 듯한 삶을 살면서 결과적으로 우리가 이르는 궁극적인 주제이다. 아들이라면 이 아버지론의 결론은 영원한 과거이자 영원한 미래임을 절감하게 된다. 왜 우리는 뒤늦게 아버지의 도정을 발견하는가? 일찍 알았다면 달리 살 수 있었으며, 아버지에게 잘못을 하지 않을 수 있었겠는가?

이 책의 제3장은 어머니론을 전개하고 있다. 어머니의 삶이 있기나 했는가? 그리움과 영원한 주제론으로 항상 눈물과 가슴앓이를 했을 어머니, 우리는 뒤늦은 탄식과 회고로 제 길을 가지 못한다. 거덜이 난 것인가? 삶의 유전과 생의 순환을 느끼게 하는 자아의 추억은 쓰리기만 하다.

이 책의 제4장은 결론이다. 삶의 강조점이기 위한 여

러 가지 목숨의 때가 있지만 다다르지 못할 자취만 남기고 마음에 항상 연민과 좌절이 남아 있다. 삶이 저물녘에야 만나는 부모님이라고 하는 주제는 항상 애잔하고 가엾은 것이다. 실밥이 터지고 없는 그리움, 부모님에 대한 그리움이 이 시의 궁극적 주제이다. 고전적 시조 형식으로 이만한 생의 관조가 과연 이루어질 수 있었겠는가?

박기섭 시인의 관찰과 표현은 자못 숙연하게 삶을 반추하게 하고, 동시에 우리 생의 진정성에 대한 여러 가지 통찰을 유도하게 된다. 시인의 시적 형상화 대상은 과거, 인류의 역사, 우리네 삶에 대한 궁극적인 면모와 같은 것을 대상으로 하고 있다. 이를 알고 찾아야만 하는 관점이 매우 긴요하다고 하겠다.

책은 지식의 저장 창고이자 삶의 내력을 간직하고 있기 때문에 시인의 기발한 착상에 이르러서 인간의 풀 수 없는 의문을 담는 데 적절한 소재였다고 판단된다. 사람의 풀 수 없는 숙명과 근원에 이르고자 하는 시인의 생각이 기발하고 산뜻하다. 이는 시인이 오랜 사색을 하고 말을 아끼고, 색다른 생각을 끊임없이 하면서도 전통에 충실하기 때문에 생기는 현상이다.

시인은 숨어 사는 외톨박이이다. 삶의 전체를 관조

하고 내면을 응시하면서 민족의 역사와 인류의 역사 등
에 깊은 생각을 전개하는 것이 이 시인의 기본적 주제
이다. 새로운 내용을 낡은 정형시에 담는 것이 쉽지 않
은 일이지만 형식도 바꾸고 새로운 형식도 창조하는 발
랄함이 있다.

　이 시대는 은자의 미덕이 통하지 않는 시대이다. 그
럼에도 비슬산 한 자락을 차지하고 인생의 여정과 인생
의 궁극적 의미에 대해서 언어를 고르고, 달의 강의을
들으면서, 무한히 낮은 사람의 하심을 지향하고, 아무
것에도 집착하지 않는 방하착의 무소유를 지향하고자
한다. 그의 삶이 한없이 그립고 부러울 따름이다. 은자
의 삶이 소중한 것은 남다른 길이기 때문에 아무도 가
려하지 않는다. 그런데 올연하게 시인은 견디면서 묵묵
히 시를 짓는다.